folio cadet
premiers romans

Traduit de l'anglais
par Vanessa Rubio

Maquette : Light Motif

ISBN : 978-2-07-060139-4
Titre original : *The Legend of Spud Murphy*
Édition originale publiée par Penguin Books, London, 2004

N° d'édition : 300598
Loi n° 49-956 du 16 juillet 1949
sur les publications destinées à la jeunesse
Premier dépôt légal : juin 2004
Dépôt légal : mai 2016
Imprimé en Espagne par Novoprint (Barcelone)

Eoin Colfer

# Will et ses frères

## Panique à la bibliothèque

Illustré par Tony Ross

GALLIMARD JEUNESSE

CHAPITRE 1

# Frank l'Affreux

J'ai quatre frères. Vous imaginez ? Cinq garçons de moins de onze ans qui vivent sous le même toit ?

L'été, quand il pleut, on est un peu à l'étroit. Si on invite chacun deux copains, on peut vite se retrouver à quinze entassés dans la maison. Sur le lot, il y en a au moins huit qui hurlent comme des malades, et les autres qui ont une atroce envie d'aller aux toilettes. Chez nous, la chasse d'eau tombe en panne environ tous les trois mois.

Le jour où, en rentrant, mon père a trouvé trois de ses fils et quatre inconnus couverts de peintures de guerre en train de se balancer aux rideaux de la chambre, il a décidé qu'il fallait faire quelque chose. En plus, les peintures de guerre sortaient de la trousse à maquillage de maman, alors ça n'a rien arrangé.

Une fois les guerriers récupérés par leurs parents, papa a décrété :

– Plus question de ramener des copains à la maison !

– C'est pas juste, a protesté mon frère aîné, Marty, avec ses joues striées de mascara. Qui va réellement souffrir de cette punition ? Moi, parce que j'ai plein de copains, alors que Will, il n'a qu'un ami et c'est son Action Man.

Will, c'est moi. Et j'adore cet Action Man.

Donnie, Bert et HP se sont mis à pleurnicher aussi. Pour la bonne et simple raison que ce sont des petits frères et qu'ils ne savent faire que ça. Je sais que, techniquement, moi aussi, je suis un petit frère. Mais je suis tout de même le grand frère de la moitié de la famille.

C'est déjà une calamité d'avoir un petit frère, mais trois, c'est carrément une malédiction. Le problème, avec les petits frères, c'est qu'on ne leur reproche jamais rien. Donnie, Bert et HP n'ont qu'à battre des cils, faire trembler un peu leur lèvre inférieure et on leur pardonne tout. Ils pourraient me planter une hache dans la tête, on leur ferait les gros yeux et ils seraient privés de télé pendant dix minutes, point final. S'il y a une chose sur laquelle on est d'accord, Marty et moi, c'est bien que nos trois petits frères sont pourris gâtés.

– On vit dans une maison de fous ! a constaté papa.

– Et je vous présente le chef de l'asile, ai-je annoncé en montrant Marty du doigt.

– C'est pas moi qui parle à mes poupées, a-t-il répliqué.

Touché.

– Action Man n'est pas une poupée.

– Silence ! a sifflé papa entre ses dents serrées. On doit bien pouvoir vous trouver quelque chose à faire pendant ces vacances. Une occupation qui vous sorte de la maison.

– Oh non, pas mes bébés ! s'est écriée maman en serrant le trio des petits frères contre elle.

Ils lui ont sorti le grand jeu : yeux bleus humides, sourire édenté, HP s'est même mis à sucer son pouce. Ce gosse ne recule devant rien.

– Peut-être pas ces trois-là, mais Will et Marty ont neuf et dix ans, maintenant. On peut leur trouver une activité. Une activité éducative.

Marty et moi, on a soupiré. Les activités éducatives, y a pas pire. C'est l'école pendant les vacances.

Mon frère a tenté de sauver la mise.

– Vous avez oublié la dernière fois ? Le cours d'arts plastiques ? J'ai été malade pendant une semaine.

– C'était de ta faute, a affirmé maman.

– Mais j'avais soif, s'est défendu Marty.

– Ce n'est pas une raison pour boire l'eau où les gens lavent leurs pinceaux !

Papa réfléchissait. Finalement, il s'est exclamé :

– Et la bibliothèque ?

– Eh bien quoi, la bibliothèque ? ai-je

répété d'un ton détaché alors que j'avais déjà l'estomac qui jouait au yo-yo.

– On pourrait vous y inscrire tous les deux. La lecture, c'est parfait. Au moins, quand on lit, on ne fait pas de bêtises.

– Et puis, c'est éducatif, a ajouté maman.

– Oui, bien sûr, en plus, c'est éducatif, a confirmé papa.

– Ah ouais ? Je me demande bien en quoi, ai-je répliqué, terrifié à cette idée. Je préfère être dehors à monter à cheval, que de rester enfermé à l'intérieur, à lire un bouquin sur les chevaux.

Ma mère m'a ébouriffé les cheveux.

– Parfois, on n'a pas le choix, Will. C'est déjà bien de pouvoir monter un cheval dans sa tête.

Je ne comprenais rien à ce qu'elle me racontait.

– Non, ne nous inscrivez pas à la bibliothèque ! a supplié Marty. C'est trop dangereux.

– Dangereux ? Et en quoi ce serait dangereux d'aller à la bibliothèque ?

– Ce n'est pas la bibliothèque, a chuchoté Marty. C'est la bibliothécaire.

– Mme Murphy ? s'est étonnée maman. Elle a l'air d'une gentille vieille dame.

Le problème avec les adultes, c'est qu'ils s'arrêtent aux apparences. Mais les enfants, eux, connaissent la vérité vraie. En présence d'enfants, les gens ne prennent pas la peine de se montrer sous leur meilleur jour, parce que de toute façon, personne ne croit un mot de ce qu'on raconte. Tous les gamins de cette ville sont au courant pour Mme Murphy. Ils évitent de la croiser. Comme Mlle White, la prof qui a le mauvais œil, ou Ned Sawyer, le clochard au chien dégoulinant de bave.

– Ce n'est pas une gentille vieille dame, ai-je corrigé, elle est complètement folle, oui.

– Will ! Ne dis pas des choses pareilles !

– Mais c'est vrai, maman. Elle déteste les

enfants. Avant, elle était dans l'armée. Elle traquait les enfants des pays ennemis.

– Arrête, c'est ridicule.

– Elle a un fusil à patates caché sous son bureau, a complété Marty. Un fusil à

compression qui se charge avec des pommes de terre. Et dès qu'un enfant fait du bruit dans la bibliothèque, elle lui tire dessus. C'est pour ça qu'on la surnomme Patator.

Ma mère trouvait tout ça très drôle.

– Un fusil à patates ! Vous inventeriez n'importe quoi pour éviter de lire.

– Mais c'est vrai ! a affirmé Marty. Tu vois Frank l'Affreux, celui qui habite au quarante-sept ?

En s'efforçant de garder son sérieux, maman a protesté :

– Tu ne devrais pas l'appeler comme ça, ce pauvre Frank.

– Ben, à ton avis, pourquoi il a cette tête-là ? Patator l'a patraté.

Maman a agité les mains, faisant mine de chasser deux insectes agaçants qui bourdonnaient à ses oreilles.

– Ça suffit. Vous allez passer l'après-midi à la bibliothèque, un point c'est tout. On vous préparera un goûter.

Marty et moi, on est restés plantés dans la cuisine, accablés. Un goûter ? À quoi pourrait nous servir un goûter face à Patator et son fusil à patates ?

■■■ CHAPITRE 2 ■

# Pas un pas hors du tapis

Bien sûr, les petits frères trouvaient ça tordant.

Donnie m'a serré la main.

– Ravi de t'avoir connu.

– Ouais, rafi de t'afoir connu, a crachoté HP (il lui manque toutes ses dents de devant).

Seulement cinq ans et il fait déjà le malin.

– Tu me lègues ton Walkman ? a demandé Bert, qui l'avait déjà sur les oreilles.

Je les ai tapés avec mon Action Man.

– Tu les entends, maman ? Ils se moquent de nous.

– Oh, mais ce n'est pas méchant, a prétendu maman. Pas vrai, mes petits hommes ?

– Nan, maman.

Elle leur a donné un crocodile à chacun. J'ai cru que mes yeux allaient sortir de mes orbites. Je n'y croyais pas tellement c'était injuste.

– Allez, Marty et Will, montez enlever le rouge à lèvres que vous avez sur les joues. On part dans dix minutes.

Pas moyen d'y échapper. On a couiné et larmoyé pendant dix bonnes minutes, mais maman n'a pas cédé d'un pouce.

– Ça va vous faire du bien d'aller à la bibliothèque, a-t-elle affirmé en attachant nos ceintures bien serré à l'arrière de la voiture. Vous allez peut-être même apprendre quelque chose, qui sait ?

Lorsqu'elle a démarré, nous nous sommes retournés vers la maison. Donnie s'était mis à la fenêtre de la chambre pour nous faire un petit spectacle. Il avait

gribouillé le mot « Patator » sur son T-shirt blanc et agitait une petite figurine à la vitre. Mon cœur a fait un bond. C'était Action Man. Donnie se déchaînait comme un fou sur mon pauvre jouet, il a fini par l'attraper par les pieds pour le cogner sur le rebord de la fenêtre.

J'ai poussé un cri strident :

– Non ! Arrête-toi, maman. Donnie est en train de tuer Action Man.

Elle a ri.

– Franchement, Will. En train de tuer Action Man ? Il va falloir que tu trouves mieux que ça.

Par la vitre, je voyais Bert et HP qui applaudissaient tout excités et Donnie qui faisait la révérence.

Maman nous a déposés à la bibliothèque.

– Je passe vous reprendre ce soir, après avoir été chercher papa au travail.

On a hoché la tête, la gorge trop serrée pour pouvoir articuler un seul mot.

Elle a fait mine de nous viser avec deux pistolets imaginaires.

– Et ne vous faites pas patater, hein ?

Elle plaisantait, mais ça ne nous a pas fait rire. Pas même sourire. « Ah, elle rigolera moins quand elle nous retrouvera défigurés par les patates qu'on aura prises en pleine figure », ai-je pensé.

– Allez, zou, montez ! Je reste pour vérifier que vous entrez bien à l'intérieur.

J'ai grommelé dans ma barbe. On avait prévu de se cacher quelque temps derrière la bibli. Zut alors, maman était plus maligne qu'on ne le pensait.

Nous avons monté les marches en béton qui menaient à la porte. J'ai « décidé » d'entrer le premier parce que Marty m'y a forcé. Vous vous demandez sans doute pourquoi nous avions si peur. Je parie que vous vous dites qu'on est des poules mouillées qui feraient mieux de rester au coin du feu à broder leurs noms sur des mouchoirs. Tout ça parce que vous pensez qu'une bibliothèque est un endroit agréable et gai, animé par des gens qui aiment les enfants. Et c'est vrai pour la plupart des bibliothèques. Mais pas celle-ci. Cette bibliothèque était un endroit sinistre où des messieurs sérieux lisaient des bouquins sérieux et où personne n'avait le droit d'esquisser l'ombre d'un sourire. Un sourire, c'était : « Dehors ! »

Un ricanement, et à vous le supplice des patates. Quant à ceux qui osaient rire vraiment, on ne les revoyait plus jamais.

Marty s'est fait bousculer par un petit garçon qui sortait de la bibliothèque en courant. Il avait les larmes aux yeux : quelqu'un avait visiblement tenté de l'étrangler avec son écharpe.

Il a attrapé Marty par son pull-over.

– Ne rentrez pas là-dedans, a-t-il supplié. Pour l'amour du ciel, ne faites pas ça. Regardez ce qu'elle m'a fait, simplement parce que j'avais un jour de retard pour rendre *Le Club des cinq en vacances* !

Et hop ! il a disparu avec son écharpe tire-bouchonnée autour du cou, laissant juste une flaque de larmes pour prouver qu'on n'avait pas rêvé.

Fixant la silhouette qui s'éloignait à toutes jambes, on a crié :

– Attends ! Qu'est-ce que Patator t'a fait ? Raconte !

Mais en vain. Le garçon s'est engouffré à l'arrière d'une voiture noire, pressé de filer quelque part où il serait plus en sécurité.

À l'entrée de la bibliothèque, il y avait un petit hall tout en verre, avec plein d'affiches pour des défis lecture, des concours de dessin, et tout ça. Que des trucs très éducatifs. Mais bon, on a quand même regardé les images. Juste histoire de gagner du temps et retarder le moment fatidique où nous devrions entrer dans la salle de lecture et nous retrouver face à face avec Patator. Nous sommes restés un moment, jusqu'à ce que maman vienne cogner à la vitre.

Nous n'avions plus le choix. Il fallait entrer. C'était exactement ce que je craignais : à l'intérieur, il n'y avait que des livres. Des livres qui ne demandaient qu'à sauter de leur étagère pour m'ennuyer à mourir. Ils m'épiaient de leur perchoir. Je les imaginais qui se donnaient des coups de coude en chuchotant :

– Tiens, voilà encore deux gamins qui s'amusent trop dans la vie. Fais-moi confiance, avec nous, ça va changer !

Cette bibliothèque était immense. Des rangées et des rangées d'étagères s'alignaient sans fin, vissées au sol et au plafond. Dans chaque allée se trouvait une échelle montée sur roulettes. Génial pour faire des glissades, mais ici il ne fallait pas y compter, tout ce qui pouvait être rigolo était banni.

– Qu'est-ce que vous voulez ? a demandé une voix venue du fin fond de la bibliothèque.

Mon cœur s'est emballé. Cette voix… on aurait dit deux morceaux de métal rouillé qui frottaient l'un contre l'autre. Retenant mon souffle, j'ai levé la tête. À l'autre bout de la pièce, une dame âgée était assise à un grand bureau de bois, les mains jointes, avec les articulations de ses doigts qui ressortaient, plus grosses que des noix. Ses cheveux gris étaient tellement tirés en arrière que ses sourcils remontaient au milieu de son front. Elle avait l'air surprise et pas franchement ravie de nous voir. Il ne pouvait s'agir que de Patator.

– J'ai dit : « Qu'est-ce que vous voulez ? », a-t-elle répété en donnant un grand coup de tampon sur son bureau.

Nous nous sommes approchés, agrippés

l'un à l'autre comme deux chimpanzés effrayés. Il y avait toute une boîte de tampons sur son bureau, sans compter les deux

qui étaient passés dans sa ceinture comme deux pistolets.

Patator nous a toisés de toute sa hauteur. Elle était gigantesque. Plus grande que mon père et plus large que ma mère et mes deux tantes réunies. Elle avait deux bras maigrichons de robot et deux petits yeux noirs comme deux cafards derrière ses lunettes.

– Notre mère veut qu'on s'inscrive à la bibliothèque, ai-je annoncé.

Une phrase complète. Pas mal vu les circonstances.

– Comme si j'avais besoin de ça, a grommelé Patator. Encore deux gamins qui vont mettre le bazar dans mes étagères.

Puis elle a pris deux cartes et un stylo dans son tiroir.

– Nom ?

– Ma-ma-madame Murphy, ai-je bégayé.

Elle a soupiré.

– Pas le mien, idiot. Vos noms à vous.

– William et Martin Woodman ! ai-je claironné comme un petit soldat.

L'ennemi connaissait désormais notre nom, nous avons même dû lui livrer notre adresse. Ça, ça m'inquiétait un peu. Maintenant que Patator savait où l'on habitait, elle n'aurait aucun mal à nous retrouver si jamais on oubliait de rendre un livre.

Elle a rempli les cartes et les a tamponnées avec le cachet de la bibliothèque.

– Cartes roses, a-t-elle souligné en nous

les tendant. Rose, ça veut dire que vous êtes des enfants et que vous devez rester dans la section jeunesse de la bibliothèque.

Marty avait remarqué que les toilettes étaient situées dans la section adulte.

– Et si on doit aller aux…

Patator a jeté le tampon dans sa boîte et claqué le couvercle.

– Soyez prévoyants, pensez à y aller avant de venir.

Elle nous a conduits jusqu'à la section jeunesse. Avec ses drôles de chaussons en laine, elle glissait sur le parquet, polissant le sol au passage.

– Voilà la section jeunesse, a-t-elle annoncé en pointant son index noueux.

« La section » se résumait en fait à une seule étagère avec quatre rangées de livres… et un petit tapis élimé devant.

– Maintenant restez sur le tapis ! gronda-t-elle. Quelle que soit l'idée ridicule qui vous passe par la tête, oubliez-la. Pas un pas hors du tapis ou vous aurez des ennuis !

Elle s'est penchée de sorte que ses yeux noir cafard soient juste à ma hauteur.

– Compris ?

J'ai hoché la tête. Ça, j'avais compris. Pas de souci.

## CHAPITRE 3

# Le test

Ce jour-là, assis sur son petit bout de tapis, Marty a décidé de tester Patator. Quand elle disait que, si on sortait du tapis, on aurait des ennuis, qu'entendait-elle exactement par « ennuis » ? Qu'on risquait juste de se faire sévèrement gronder ? Ou de se retrouver suspendus par le fond du pantalon au-dessus d'une fosse remplie d'alligators ?

– Je vais voir jusqu'où je peux aller, m'a-t-il expliqué en nouant son pull autour de son cou comme un bavoir.

Moi, je pensais encore au petit garçon terrifié qu'on avait croisé en entrant, alors j'ai répondu :

– Je ne veux pas le savoir. Je vais rester là à faire semblant de lire.

– Quelle poule mouillée, a répliqué Marty. C'est pas étonnant qu'Action Man soit ton seul copain. Moi, au contraire, je suis un véritable héros, prêt à prendre des risques.

– Pourquoi t'as attaché ton pull autour de ton cou ?

– Attends, tu vas voir, ma petite poule.

Sur ce, mon grand frère s'est mis à marcher sur le bord du tapis comme sur un fil, pour narguer Patator.

– Elle ne nous voit même pas, de là-bas, a-t-il conclu. On peut faire tout ce qu'on veut.

Moi, je n'étais pas rassuré. Quand un enfant fait une bêtise, les adultes ont ten-

dance à faire porter le chapeau à toute la famille.

– C'est quoi, ton plan ? ai-je demandé.

Marty a souri.

– Pour embêter une bibliothécaire, rien de plus simple : il suffit de remettre les livres à la mauvaise place…

Il s'est frotté les mains, ravi.

– … Elles ne supportent pas, ça les rend dingues !

Marty était expert dans l'art d'embêter les bibliothécaires. Celle de l'école lui avait déjà mis plusieurs mots dans son carnet.

– Je vais juste mélanger un peu les bouquins de Mme Patator. Mais le temps qu'elle s'en aperçoive, nous, on sera bien tranquilles à la maison en train de regarder les dessins animés.

Il s'est allongé à plat ventre pour ramper par terre. Grâce à sa double couche de laine, il glissait sur le plancher.

Il fallait bien le reconnaître : Marty était un génie.

Comme un crocodile descendant le Nil, il s'est faufilé en silence jusqu'à la rangée de livres la plus proche. Il est monté sur l'étagère du bas et est resté perché là, immobile. Il n'y avait personne dans ce coin de la bibliothèque, à part un petit homme aux cheveux gris et sourcils en bataille. Mon frère a attendu qu'il s'éloigne avant de se mettre au travail.

Méthodiquement, il a mélangé presque tous les livres de la rangée, un à un. Il a mis les polars avec les histoires d'amour, les romans d'aventure sur l'étagère ornithologie et le jardinage au rayon maquettes d'avions. Patator allait être furieuse. Pour couronner le tout, Marty voulait échanger les panneaux d'indication. Ces feuilles punaisées sur chaque étagère indiquaient au lecteur ce qu'il pouvait trouver à cet endroit précis. Avec précaution, il a tendu le bras pour arracher la première feuille.

Mais soudain, une ombre s'est abattue sur lui. C'était une grande ombre menaçante qui appartenait à une grande personne menaçante. Je me suis retourné. Patator ! Elle avait surgi sans un bruit, un vrai ninja bibliothécaire.

Elle était plantée là, bien campée sur ses chaussons, prête à dégainer les tampons de

sa ceinture. Le pire, c'est que mon frère ne l'avait pas vue arriver, il tirait toujours sur la feuille. Je n'avais aucun moyen de le prévenir. Je ne pouvais rien faire.

À la vitesse de la lumière, Patator a saisi un tampon de la main gauche et l'a lancé d'un mouvement fluide et précis. Il a été propulsé avec une telle force que je l'ai entendu siffler dans les airs. Marty s'est retourné juste à temps pour voir le bloc de bois et de plastique foncer sur lui. Trop tard pour l'éviter. Tout ce qu'il pouvait faire, c'était fermer les yeux en miaulant comme un chaton.

Le tampon lui a arraché la feuille des mains pour la plaquer contre l'étagère avec une telle force que le papier est resté collé là pendant quelques secondes, même après que le tampon fut retombé. Un mot s'y était imprimé, à l'encre violette : « DÉFECTUEUX ».

– Je le savais, a affirmé Patator. J'ai le don de repérer les fauteurs de trouble.

Monsieur Martin Woodman ! Au premier coup d'œil, j'ai su que tu aurais quitté ce tapis avant même que je me sois rassise à mon bureau.

– Vous m'avez tendu un piège ! s'est étonné Marty.

– Eh oui, j'attendais derrière l'étagère. Le coup du pull, c'était pas mal trouvé, mais j'en ai dompté de bien plus rusés que toi, en mon temps.

Marty s'est relevé lentement, sans mouvement brusque.

– Je suis désolé, Pat... madame Murphy. Je ne mettrai plus jamais un orteil hors du tapis.

Patator s'est approchée en patinant sur ses chaussons.

– C'est trop tard. Puisque tu es sorti du tapis, tu vas en profiter pour réparer le mal que tu as fait.

– Mais il y a des centaines de livres ! a-t-il protesté. Je ne me souviens pas où ils étaient.

Elle a fait glisser son doigt le long de l'étagère.

– Chaque livre est numéroté. Cette rangée commence par le numéro cinq cent soixante.

Elle lui a tendu un ouvrage.

– Le voilà, tu n'as plus qu'à continuer. Si tu as tout remis en ordre avant le retour de ta

mère, j'éviterai peut-être de lui raconter que tu as joué avec les extincteurs.

La mâchoire de Marty s'est décrochée.

– Mais… je n'y ai pas touché.

Patator a posé les poings sur ses hanches.

– Je le sais bien et je suis sûre que ta mère ne me croirait pas, de toute façon. À moins, bien sûr, que tu n'aies déjà fait des bêtises de ce genre.

Marty a réfléchi un instant, puis il s'est mis à ranger les livres à toute vitesse. Il avait trouvé son maître.

Deux heures et quatorze coupures de papier plus tard, il avait fini. Il s'est assis sur le tapis, tout occupé à se lécher les doigts.

– Bah, ce n'était pas dramatique, finalement, m'a-t-il assuré alors qu'on regagnait la sortie. J'ai déjà eu des profs plus terribles que ça.

Mon frère recommençait à fanfaronner.

– Marty ! me suis-je exclamé. Tu as déjà oublié le coup du tampon ? Elle a failli t'arracher la tête.

– Ouais, c'était cool. Elle doit passer des heures à s'entraîner. Tu crois qu'elle aurait vraiment dit que j'avais joué avec les extincteurs ?

– Je ne sais pas et je m'en fiche. Tout ce que je veux, c'est sortir d'ici.

L'air de rien, Marty s'est dirigé vers le bureau de Patator. Je n'y croyais pas ! Maman nous attendait dehors dans la voiture. Je la voyais à travers les portes vitrées. Alors que nous étions presque sauvés, mon frère retournait voir la bibliothécaire !

– Excusez-moi, madame Murphy.

La tête de Patator a pivoté lentement, comme une tourelle de char. Elle a posé les yeux sur Marty.

– Martin Woodman. Qui en redemande. Je pensais que tu éviterais de croiser mon chemin, maintenant.

– Juste une question, madame Murphy. Vous n'auriez pas été jusqu'à raconter que j'avais joué avec les extincteurs, hein ?

Patator l'a regardé en souriant de toutes ses dents. On aurait dit des stalactites.

– Ah bon, je n'aurais pas osé ?

– Non, je ne crois pas. Accuser un innocent, c'est tout de même pas pareil que le coup du lancer de tampon. D'ailleurs, c'était cool.

– Ça t'a plu, pas vrai, Martin ?

– Oh ouais !

Patator a ouvert la boîte posée sur son bureau.

– J'ai toute une série de tampons là-dedans. Tiens, celui-ci, je suis sûre que c'est ton style. Il représente un drapeau pirate. En général, les garçons aiment bien que je le leur imprime sur le bras, comme un tatouage.

Elle a refermé la boîte à demi.

– Mais tu es un peu trop jeune, non ?

Marty remontait déjà sa manche.

– Oh non, j'adore ! Sur le bras. Quand je vais montrer ça aux copains à la piscine !

Tout en enduisant soigneusement le tampon d'encre bleue, elle a insisté :

– Tu es sûr, Martin ? Ça met plusieurs jours à s'effacer, tu sais.

– Pas de problème, allez-y !

– Bon, si tu y tiens.

Le sourire de Patator s'est élargi.

– Attention, ne bouge plus.

Elle a bien appuyé le tampon sur l'avant-bras de mon frère, d'avant en arrière, trois fois. Lorsqu'elle l'a relevé, nous nous sommes penchés pour voir le drapeau de pirate. Sauf que ça n'avait rien d'un drapeau de pirates. Il s'agissait d'une courte phrase, de trois mots à peine :

« I ♡ BARBIE »

– Oups ! s'est exclamée Patator. Ce n'était pas le bon tampon. Désolée !

Marty en avait le souffle coupé. Si quiconque apercevait ces mots sur son avant-bras, il serait la risée de toute l'école pour l'éternité.

– Allez, filez ! a fait Patator en reposant le tampon dans sa boîte. Une dernière précision : si vous essayez à nouveau de me jouer un de vos petits tours, je vais m'énerver. Il y a dans ce bureau des choses bien plus dangereuses que des tampons.

Sur ces mots, nous sommes partis. Marty gardait le bras tout raide devant lui, comme s'il appartenait à quelqu'un d'autre.

Alors qu'il poussait la porte, Patator lui a crié :

– Au fait, Martin, amuse-toi bien à la piscine !

## CHAPITRE 4

# Un bon livre

Les jours suivants, je suis resté sur le tapis, à faire semblant de lire. J'y ai passé tellement d'heures que je suis sûr que le motif fané de cette vieille carpette a dû s'imprimer sur mes fesses. Pendant ce temps, Marty se léchait l'avant-bras. Mais ça ne servait à rien, le tampon ne partait pas. Sauf qu'en plus, maintenant, il avait la langue bleue. Parfois, lorsque maman arrivait un peu plus tôt que prévu, elle me surprenait en train de lire (pour de faux).

– Ça alors ! C'est un tableau qui fait chaud au cœur pour une maman, disait-elle. Je savais que ça vous plairait, il suffisait d'essayer.

Et voilà. On était fichus. Elle avait décidé qu'on irait trois fois par semaine à la bibliothèque, et ce pendant deux heures.

On passait donc trois après-midi par semaine à faire semblant de lire, sans parler. Si jamais on oubliait de se taire, Patator se déplaçait jusqu'à la section jeunesse. Je me rappelle la première fois que c'est arrivé. On se disputait pour savoir à qui appartenait l'air de notre chambre. Pour moi, Marty possédait l'air qui était de son côté de la chambre, mais il soutenait que tout l'air qui était à hauteur d'homme était à lui. Donc, si on suivait son raisonnement, il fallait que je grimpe sur le lit superposé pour respirer.

Soudain une ombre familière s'est abattue sur le tapis. J'en ai eu des frissons dans le dos. Patator était là, les pieds écartés, la ceinture chargée de tampons-munitions. Sans un mot, elle a brandi une ardoise. Où il était écrit : « CHUT ! » OK, message reçu.

On n'avait pas le droit de se battre, pas le droit de crier, pas le droit de faire des bruits malpolis. Tous les trucs de garçon, quoi. Oh, quel ennui !

J'avais l'impression que mon crâne était si lourd qu'il allait se décrocher et rouler sur le sol. J'ai tout essayé pour m'occuper les idées. Imaginer des films dans ma tête, suivre les dessins du tapis-prison, grignoter les coins des bouquins. Mais la plupart du temps, je n'arrivais à penser qu'à une chose : retrouver ma liberté !

Pourtant, un jour, un truc étrange s'est produit. Je faisais semblant de lire *Finn MacCool, le géant d'Irlande* quand quelque chose a attiré mon regard. C'était la première phrase du livre.

Finn MacCool était le plus grand géant d'Irlande, affirmait-elle.

Cette phrase m'a semblé… comment dire… intéressante. J'ai décidé de poursuivre ma lecture. Pas question que je lise toute l'histoire, non. Mais une ou deux

lignes de plus, peut-être. Finn avait un problème, annonçait le livre. Angus MacTavish, le plus grand géant d'Écosse, voulait se battre avec lui.

Ah, je ne pouvais pas m'arrêter maintenant. Deux géants qui se battaient ! Je voulais juste voir ce que ça donnait. J'ai donc lu jusqu'au bas de la page, et ensuite j'ai continué. Sans m'en rendre compte, je me suis retrouvé plongé dans la légende de Finn MacCool et Angus MacTavish. Il y avait de l'aventure, de la magie, des batailles et des plans ingénieux. Des montagnes qui explosaient et des sorciers qui tuaient des lutins malfaisants. Des chèvres qui parlaient et des princesses changées en cygnes. C'était un autre univers !

– On y va ? a fait une voix.

J'ai levé les yeux. Maman.

– Qu'est-ce que tu fais là? ai-je demandé.

Elle avait des sacs de courses à la main.

– À ton avis ? Il est l'heure de rentrer.

J'ai serré le livre contre ma poitrine.

– Mais on vient d'arriver. Il est seulement…

Je me suis interrompu parce que je venais de voir l'heure. Au mur, l'horloge indiquait cinq heures. J'avais lu pendant presque deux heures. Je me suis tourné vers mon frère. Il était encore en train de

bouquiner ! Un album avec un dragon sur la couverture. Mais qu'est-ce qui se passait ?

– Allez, venez. Sinon papa va nous attendre.

À ma grande surprise, j'ai réalisé que je n'avais aucune envie d'abandonner mon histoire. Et Marty non plus.

– Mais, maman…

– Oui, Marty ?

– Je n'ai pas fini mon livre.

– Moi non plus.

Maman a posé ses courses pour nous serrer dans ses bras. Devant tout le monde. Heureusement que nos copains ne traînent pas dans les bibliothèques.

– Tu crois que Pat… euh, Mme Murphy nous laisserait les emporter à la maison ?

Maman a ramassé ses sacs.

– Bien sûr, vous avez vos cartes, non ?

## ▒ CHAPITRE 5 ■▒■

# Un pied hors du tapis

Pendant des semaines, tout est allé à merveille. Jamais on ne s'était autant amusés. Chaque livre nous ouvrait la porte d'un nouvel univers. Nous avons descendu le Mississippi avec Huckleberry Finn. Robin des Bois nous a appris à tirer avec un arc et des flèches. Nous avons attrapé des cambrioleurs avec le Club des cinq et George Bouillon nous a montré comment préparer une potion magique des plus efficaces.

En général, Patator nous laissait tranquilles, du moment que nous rendions nos livres à temps et que nous restions sur le tapis sans faire de bruit. Parfois elle venait nous montrer son ardoise « Chut ! », mais nous n'avons jamais eu de véritables ennuis.

Jusqu'au jour où…

Un lundi, nous nous sommes retrouvés sans livres à lire. Nous avions déjà tout lu deux fois, même les Alice. Nous étions là, assis sur notre tapis, redoutant le terrible ennui qui n'allait pas manquer de s'abattre sur nous. Ce n'était pas juste !

Marty s'ennuyait tellement qu'il a recommencé à se lécher le bras, alors que le tampon Barbie avait disparu depuis longtemps.

Il s'est interrompu pour râler :

– Qu'est-ce qu'on va faire ? Je ne vais pas pouvoir passer six heures par semaine assis là sans rien à lire !

– Moi non plus.

– C'est dramatique ! Et dire que le rayon « aventure » est juste à côté.

– Oui, mais c'est dans la section adulte. Et nous, on n'a que des cartes roses.

– Je sais, mais si l'un de nous avait le cran d'aller là-bas… il nous faudrait juste un petit livre pour passer l'après-midi.

Je me suis couvert la tête avec un bouquin.

– Alors là, pas moyen. C'est même pas la peine, je ne t'écoute pas.

Marty s'est approché de moi en rampant.

– Allez ! Je ne peux pas, moi. Patator m'a à l'œil.

– Et le fusil à patates, alors ?

Mon frère m'a pincé la joue.

– T'es petit et mignon, toi. Si Patator t'attrape, elle te donne une sucette, je parie.

– C'est non, Marty, ai-je chuchoté pour ne pas qu'elle m'entende.

– Je te laisserai respirer mon air.

– Non.

– Tu pourras venir traîner avec moi et mes potes.

– Je n'ai aucune envie de traîner avec vous.

– Je te dirai où j'ai enterré Action Man.

Je suis resté la bouche ouverte, le souffle coupé.

– T'as enterré mon Action Man ?

Marty me tenait, il le savait.

– Ouais, quelque part dans le jardin. Et il est grand, notre jardin. Les vers doivent être en train de le grignoter à l'heure qu'il est.

Je n'avais pas le choix. Action Man avait besoin de moi, et en plus, j'avais vraiment envie d'avoir un truc à lire.

– OK, Marty, ai-je soufflé, j'y vais. Mais seulement aujourd'hui. Si tu veux un livre mercredi, il faudra que tu ailles le chercher toi-même.

Mon frère m'a donné une tape dans le dos.

– C'est bien. Allez, file ! Et ramène-moi un bouquin vraiment passionnant.

J'ai posé un pied hors du tapis. Le plancher a craqué, un cri strident de chauve-souris.

En deux secondes, Patator a rappliqué. Avec ses chaussons, elle glissait comme une patineuse sur le bois ciré.

« CHUT ! » m'a ordonné son ardoise.

– Pardon, ai-je murmuré.

Ses petits yeux de cafard nous ont fixés d'un air soupçonneux, Marty et moi, mais

finalement, elle a poursuivi son chemin jusqu'au rayon romans d'amour.

– Je le savais, t'en es même pas cap', espèce de poule mouillée ! a chuchoté Marty. Et dire que ce pauvre Action Man compte sur toi.

Je lui ai tiré la langue. Je ne m'avouais pas encore vaincu. J'allais sauver mon Action Man. J'allais montrer à mon frère que je n'étais pas une poule mouillée. J'ai

enlevé mes chaussures et mes chaussettes pour retenter ma chance. Avec mille précautions, j'ai posé la pointe de mon gros orteil sur le parquet, comme une souris qui teste une tapette. Pas de craquement. Le silence parfait. Ça pouvait marcher. Il n'y avait pas d'adultes dans ce coin de la bibliothèque, je n'avais qu'à me soucier de Patator. J'ai fait un tout petit pas. Puis un autre.

Tous les garçons du monde savent que pour traverser une pièce sans faire craquer le plancher, il faut longer les murs. Je les ai rasés de si près que je sentais presque mon ombre me chatouiller le dos. Centimètre par centimètre, je me rapprochais du rayon aventure. Je transpirais de partout. J'avais l'impression que même mes dents étaient en sueur ! Et si Patator me tombait dessus ? Aurais-je droit au tampon ou au fusil à patates ? Au fusil, à mon avis. Marty avait déjà reçu l'avertissement. Le seul avertissement auquel notre famille avait droit.

Une échelle me barrait le passage. Une échelle de bibliothèque avec des roulettes en haut. Tant mieux, j'en avais justement besoin pour atteindre mon but. Je l'ai poussée avec précaution vers le rayon aventure. Par chance, elle ne grinçait pas : Patator

devait prendre soin de bien huiler les roulettes.

Ah, ça y est, je les voyais, mes livres, sur la dernière étagère. Je suis monté à l'échelle, tout doucement, redoutant le craquement qui alerterait Patator. Un barreau, puis deux, puis trois… voilà, j'étais assez haut pour attraper un bouquin. Je me suis fait aussi grand que possible. Je me suis étiré, étiré, étiré du bout du gros orteil à la pointe de mon index. J'ai attrapé un livre, et vite, je l'ai coincé dans la ceinture de mon pantalon, dans le dos. Mission accomplie, il ne me restait plus qu'à retourner sur le tapis.

Le retour a été aussi périlleux que l'aller. À force de transpirer, je commençais à avoir soif. La distance qui me séparait du tapis me semblait dix fois plus grande qu'à l'aller. Le moindre petit bruit résonnait entre ces hauts murs. Mais je ne pouvais pas m'arrêter là. Sinon Patator me trouverait à sa prochaine ronde, et là, j'étais bon pour le patatage. Alors, les mains moites, j'ai remis l'échelle en place, et les pieds moites, je suis retourné sur le tapis. Ouf.

Marty a tiré le livre de mon pantalon.

– Bien joué, Will. Je ne pensais pas que t'en étais cap'.

– Bon, maintenant, dis-moi où est mon Action Man.

Mon frère a souri.

– À sa place, dans le coffre à jouets, banane.

Il m'avait eu, encore une fois, mais j'étais tellement soulagé que je n'arrivais pas à lui en vouloir.

Nous avons regardé la couverture du livre. Le titre était écrit en lettres dorées : *Espions en Sibérie*. En dessous, il y avait la photo d'un homme qui skiait dans un paysage enneigé. Patator pouvait sûrement repérer à cent mètres que ce n'était pas un livre pour enfant. Du coup, Marty a pris la jaquette d'un album illustré pour cacher la couverture.

J'ai remis mes chaussettes et mes chaussures, puis nous avons lu tranquillement pendant tout l'après-midi.

Ces espions menaient la belle vie avec leurs voitures super rapides, leurs parachutes, à embrasser toutes les filles qu'ils croisaient. Moi, je me serais bien passé des

bisous-bisous, mais sinon c'était génial. Jamais je ne m'étais retrouvé aussi longtemps à côté de mon frère sans qu'on se dispute.

À quatre heures et demie, Marty a caché *Espions en Sibérie* derrière une rangée d'Enid Blyton, puis nous nous sommes rassis bien sagement en attendant maman. Je dois avouer que j'étais très fier de moi. J'avais réussi à duper la célèbre Patator. Mon génie avait eu raison de son talent de traqueuse d'enfants. J'étais le roi de la bibliothèque.

Enfin…

Tout à coup, Patator a surgi au coin de l'étagère, glissant sur ses chaussons pelucheux. Elle s'est arrêtée pile devant nous, la truffe en l'air, un vrai chien féroce. Ses sourcils étaient encore plus hauts que d'habitude sur son front.

– Il y a quelque chose qui cloche, a-t-elle constaté de sa voix de métal rouillé.

Nous, on souriait innocemment. Comme

la plupart des garçons, nous sommes très doués pour les sourires innocents.

Mais Patator nous fixait d'un œil mauvais.

– Avec moi, le sourire innocent, ça ne marche pas, les petits gars. À moins que vous ne soyez vraiment innocents. Ce dont je doute fort.

J'ai senti mon sourire se ratatiner, comme une banane qu'on mange par les deux bouts. « Reste calme, me suis-je dit. Plus

qu'une demi-heure, et on est sauvés : maman arrive. »

Patator arpentait la bibliothèque sur ses patins, cherchant le détail qui clochait. Elle scrutait le parquet ciré, tel un aigle traquant sa proie. Elle a fini par arriver à l'endroit d'où j'étais parti. Mais elle a continué son chemin.

Ouf.

Soudain elle s'est arrêtée et elle est revenue sur ses pas.

Oh non.

Quelque chose avait attiré son regard.

Quelque chose qui se trouvait à l'endroit même où j'étais sorti du tapis. Penchée en avant, elle a suivi ma piste jusqu'à l'échelle.

– Simple coïncidence, m'a soufflé Marty. Ne t'en fais pas.

Patator a empoigné l'échelle et l'a poussée le long de la rangée... jusqu'au rayon aventure. Là, elle s'est immobilisée.

Non, ce n'était pas possible.

La bibliothécaire est montée jusqu'au troisième barreau, elle a tendu un doigt noueux.

Son doigt noueux désignait une place vide sur l'étagère.

– Ha, ha !

Je n'y croyais pas. Elle devait avoir des pouvoirs magiques. J'étais mal. Vraiment très mal.

Patator est redescendue, puis a filé vers le

tapis sur ses patins. Elle a fait halte devant nous et n'a prononcé que trois mots :

– *Espions en Sibérie* ?

J'ai retenté le coup du sourire innocent.

– Comment ?

– *Espions en Sibérie*. L'un de vous a pris ce livre au rayon aventure. Rendez-le-moi.

J'étais bien trop terrifié pour pouvoir articuler quoi que ce soit, mais j'ai réussi à secouer la tête. « Non, non, disait ma tête, ce n'est pas moi. »

Marty s'en est tiré un peu mieux.

– Je n'oserais jamais enfreindre le règlement de la bibliothèque en quittant la section jeunesse, a-t-il affirmé, le plus sérieusement du monde. Ce serait mal, et je décevrais mes parents.

Patator nous a dévisagés avec ses yeux de cafard.

– Ah, oui…, a-t-elle fait. Eh bien, si c'est comme ça, je vais vous demander de vous allonger.

Nous avons obéi et, d'un habile tour de main, elle nous a ôté chaussettes et chaussures. Après avoir examiné nos pieds nus, elle a fixé son choix sur moi.

– Lève-toi, m'a-t-elle ordonné.

J'ai fait ce qu'on me disait. Si vous vous retrouviez face à Patator, vous ne croyez pas que vous feriez pareil ?

Elle a glissé ses mains sous mes aisselles pour me soulever à quinze centimètres du sol.

– Je pense que c'est toi qui as fait le coup,

William, a-t-elle conclu. Tu as laissé une trace.

Quelle trace ? Comment aurais-je pu laisser une trace ?

Patator a patiné jusqu'au mur d'où j'étais parti et m'a reposé pile sur mes empreintes. Effectivement, mes pieds transpirants

avaient laissé une jolie trace, qui avait séché depuis.

– Allez, maintenant tu me rends *Espions en Sibérie*, a-t-elle exigé d'un ton sans réplique.

J'étais coincé. Pris la main dans le sac. Les preuves m'accusaient. Que pouvais-je faire à part rendre le livre et demander grâce ? En traînant les pieds, je suis retourné

à la section jeunesse pour prendre le livre que j'avais « emprunté » sur l'étagère.

Marty me toisait d'un air méprisant.

– Quelle honte ! Comment as-tu osé enfreindre le règlement de la bibliothèque ?

Je l'ai ignoré, trop occupé à imaginer le terrible châtiment que Patator allait m'infliger.

– Tenez, ai-je murmuré en lui tendant *Espions en Sibérie*.

Patator a secoué la tête, perplexe.

– Pourquoi as-tu fait ça ? Tu n'as pas peur de moi ? Je terrifie tous les enfants normalement.

C'est là que j'ai pris la meilleure décision de l'après-midi. Je lui ai dit la vérité, enfin en partie, du moins.

– J'avais envie d'un livre, ai-je expliqué d'une voix tremblante. Les autres, je les ai déjà tous lus. Et même deux fois pour la plupart. Il m'en fallait un autre.

– Tu savais pourtant que je risquais de t'attraper.

Ma lèvre inférieure tremblotait comme de la gelée de groseille.

– Ça valait la peine de tenter le coup…

– Très bien ! a décrété Patator. Suis-moi à mon bureau. J'ai quelque chose pour toi. Et ce n'est pas un tampon.

Oh non ! Le fusil à patates. J'étais bon pour le patatage. Pitié !

– Mais…, ai-je protesté.

Patator a levé la main.

– Il n'y a pas de « mais ». Tu vas avoir ce que tu mérites. Allez, à mon bureau.

J'ai traversé la bibliothèque tête basse. Je n'avais jamais eu aussi peur de ma vie. Voilà, c'en était fini du mignon petit

garçon. Dorénavant, on m'appellerait Will le Vilain, l'enfant à tête de patate. J'ai fermé les yeux, je ne voulais pas voir ça.

Mais mes oreilles fonctionnaient toujours et les bruits que j'entendais me laissaient imaginer le pire.

Derrière moi, Marty faisait « Tt-tt-tt » avec sa langue, l'air réprobateur, comme si mon comportement inqualifiable l'avait profondément déçu. Devant, Patator farfouillait dans son tiroir de bureau. Elle devait choisir une patate bien dure pour charger son fusil.

– Ouvre les yeux ! m'a-t-elle ordonné.

– Non, ai-je gémi, je ne peux pas.

– Allez, William Woodman, regarde ce que je t'ai préparé.

J'ai pris une profonde inspiration avant d'ouvrir les yeux. À la place du fusil à patates, j'ai découvert sous mon nez une carte bleue. Et derrière le morceau de carton, le visage de Patator. Elle me souriait mais, maintenant, ses dents ne ressem-

blaient plus à des stalactites. Elle avait un gentil sourire.

– Une carte de bibliothèque bleue. La couleur de la section adulte. Ça veut dire que tu peux aller où tu veux, dans tous les rayons. Tu me montreras juste les livres que tu choisis, je vérifierai qu'ils sont bien pour toi.

Je n'en revenais pas. Ma parole, Patator était en train de me récompenser d'avoir enfreint le règlement ?

– P-p-pourquoi ? ai-je bégayé.

Elle a souri à nouveau. Ça lui allait plutôt pas mal.

– Parce que tu es sorti du tapis pour prendre un livre, pas pour faire des bêtises. C'est le but de cette bibliothèque, faire lire des livres. Parfois il m'arrive de l'oublier.

Waouh. J'avais fait quelque chose de bien, même pas exprès. Quand maman apprendrait ça !

Patator m'a fait un clin d'œil en proposant :

– Il serait peut-être temps d'agrandir la section jeunesse et de se débarrasser de ce tapis.

J'ai réfléchi avant de répondre :

– Et si on laissait le tapis là où il est, mais juste pour s'asseoir ?

Patator m'a tendu la main.

– Marché conclu.

J'ai serré ses doigts osseux. Clin d'œil et poignée de main ? Des extraterrestres avaient dû enlever la bibliothécaire pour la remplacer par ce robot à tête de Patator.

– Madame Murphy, puisque nous sommes amis maintenant, je pourrais peut-être vous appeler Patator ?

La bibliothécaire a glissé sa main libre sous le bureau. Elle a tourné un truc qui a fait entendre un drôle de sifflement.

– Essaie un peu, Woodman, et tu verras ce que je te réserve.

J'ai reculé à pas lents.

– Bon… Ben, je crois que je vais aller attendre ma maman sur le tapis.

– Bonne idée.

Je sais ce que vous vous dites. Qu'après ce que m'avait fait Marty, j'allais éviter de l'approcher. Eh bien, vous n'êtes pas loin de la vérité. Je suis resté à bonne distance du tapis et j'ai agité la carte adulte sous son nez.

– Tu vas emprunter un livre pour moi, hein ? m'a-t-il supplié.

– Après le tour que tu m'as joué avec Action Man ? Tu rêves !

– Allez, je te laisserai respirer tout l'air de la chambre.

– Bon, d'accord, alors…

Et je suis allé lui chercher *Passion d'automne* dans le rayon romans d'amour.

– Non, pas ça ! a-t-il protesté après avoir lu la quatrième de couverture. Je n'ai aucune envie de lire les aventures d'une fille qui s'appelle Cunégonde !

Mais j'étais déjà reparti vers le rayon aventure. J'ai porté la main à mon oreille,

comme si je n'avais pas entendu, et il n'a pas osé crier. Lorsque j'ai regardé dans sa direction, quelques minutes plus tard, il était plongé dans son roman à l'eau de rose.

À quatre heures dix, quelqu'un a klaxonné trois fois devant la bibliothèque. Un long coup, puis deux courts. Maman nous attendait. Nous avons vite choisi un livre à emporter à la maison. Marty a pris *Passion d'automne*.

– Il y a plein de combats d'épée, a-t-il expliqué alors que Patator tamponnait le livre.

Elle a aussi tamponné le mien, avant de glisser ma carte dans une petite enveloppe à l'intérieur.

– Tu sais, Will, maintenant que nous sommes amis, tu pourrais peut-être m'appeler Patricia ?

J'ai coincé mon livre sous mon bras.

– À mercredi, Pat !

Patator a souri.

– À mercredi, Will !

**Eoin Colfer** est né en 1965 à Wexford, en Irlande. Enseignant comme l'étaient ses parents, il vit avec sa femme Jackie et ses deux fils dans sa ville natale. « Artemis Fowl », premier volume de sa série événement, l'a propulsé au rang d'écrivain vedette de la littérature pour la jeunesse. Doté d'un grand sens de l'humour, il a également prouvé ses talents de comédien dans un one man show. Ses inspirations sont multiples et hétéroclites : de James Bond à la mythologie celte, en passant par Batman, Conan Doyle ou « La Guerre des étoiles ». La série « Will et ses frères », destinée aux jeunes lecteurs, s'inspire de ses souvenirs d'enfance.

**Tony Ross** est né à Londres en 1938. Après des études artistiques à la Liverpool School of Art, il travaille comme graphiste puis directeur artistique d'une agence publicitaire et enseignant. Il développe dans le même temps une carrière d'illustrateur en publiant des bandes dessinées dans le magazine satirique *Punch*. Son premier livre paraît en 1976. Créateur d'albums inoubliables comme *La Petite Princesse*, Tony Ross a également illustré les œuvres des plus grands auteurs pour enfants.